Het vrolijke herfstvoorleesboek

Marianne Busser & Ron Schröder

Het vrolijke herfstvoorleesboek

Met illustraties van Dagmar Stam

Van Holkema & Warendorf

Inhoud

verboden voor de wind.

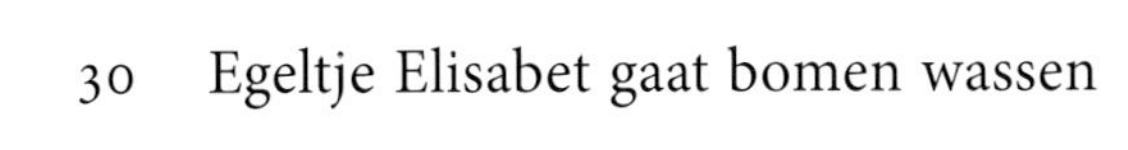

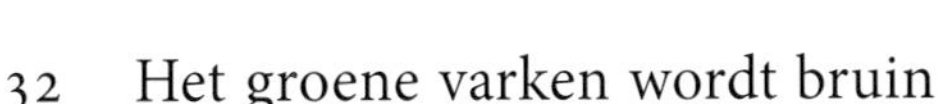

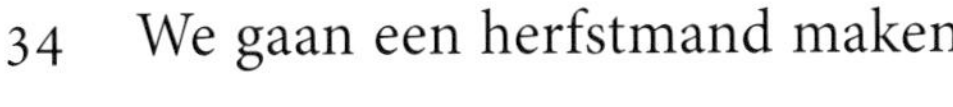

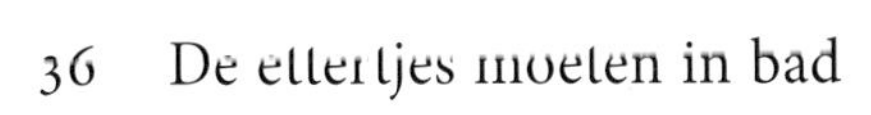

Marianne Busser (1958) en Ron Schröder (1958) zijn met elkaar getrouwd en hebben drie dochters. Ze hebben samen inmiddels bijna driehonderd boeken en meer dan duizend kinderliedjes geschreven. Daarnaast schrijven ze regelmatig voor onderwijsmethoden, voor kindertijdschriften en voor het televisieprogramma *Sesamstraat*.

Woord vooraf

Het vrolijke herfstvoorleesboek is het laatste deel in de reeks van vier seizoenenboeken.
Bij herfst denk je meteen aan vallende blaadjes, paddenstoelen, eikels en kastanjes, en aan vogels die naar het zuiden vliegen. Die onderwerpen komen dus zeker aan de orde.

Ook vertrouwde figuurtjes als Beertje Benjamin, Kobus en Kwak, de blote koning, het mannenkoor en de drie jongetjes zullen weer van de partij zijn.
Gek genoeg duurde het even voordat we bedachten dat 5 december óók in dit boek thuishoorde, terwijl wij bij dat feest toch altijd aan de winter moeten denken. Maar nee, het heerlijke avondje speelt zich af in de herfst. En daarom mocht het sinterklaasfeest natuurlijk niet ontbreken.

We wensen iedereen veel plezier met dit boek vol vrolijke tekeningen van Dagmar Stam!

Met liefs,
Marianne Busser & Ron Schröder

De herfst gaat nu beginnen

De zomer is voorbij
er gaat een hoop gebeuren
de vogels vliegen weg
de bladeren verkleuren

De eerste paddenstoelen
verschijnen in het bos
en grote groene eikels
die vallen op het mos

De regen en de storm
houden de mensen binnen
de zomer is voorbij
de herfst gaat nu beginnen!

Twee parapluutjes

Daan en Doortje hebben allebei
een paraplu gekregen
dat is handig nu het herfst is
want dan valt er heel vaak regen
maar papa zegt: hé, wacht eens even
zijn die parapluutjes goed?
zou je niet eens gaan proberen
of die plu het echt wel doet?

Maar het regent niet, roept Doortje
dus dat kunnen we niet zien
wacht maar, zegt hun papa lachend
'k heb al een idee misschien
loop maar met me mee naar buiten
en ga op het grasveld staan
doe allebei je parapluutje open
dan zet ik de tuinslang aan

En jawel – ze blijven droog, hoor
kijk, roept Daan dan, zie je dat?
ik heb nog nooit – dat weet ik zeker
zó'n goede paraplu gehad!
wil jij ook eens, pap? vraagt Doortje
ik spuit wel even met de slang
papa zegt snel: nee, dat hoeft niet
maar dán roept mama: hij is bang!

Vrolijk loopt ze naar de tuinslang
en ze zegt: ik weet al wat
en dan spuit mama stralend
papa kledder-, kléddernat!

Een winterslaap voor Knorrepotje

Er staat in de krant geschreven:
DE WINTER KOMT NU ECHT HEEL GAUW!
en Knorrepotje denkt: wat jammer
want ik hou niet zo van kou
weet je wat, bedenkt hij dan:
ik hou een winterslaap dit jaar
egeltjes die gaan ook slapen
dus dat is helemaal niet raar

Hij maakt zijn slaapkamer in orde
legt extra kussens op zijn bed
en hij zorgt dat hij zijn wekker
netjes op *het voorjaar* zet
hij pakt een lekkere pyjama
en trekt zijn dekens nog wat recht
en dan zegt hij: welterusten
tot zijn vriendje komt en zegt:

Knorrepot, wat ga jij doen?
een winterslaapje? – dat is raar
denk je dat dat écht zo leuk is
Knorrepot, vergeet het maar!
dan kun je dus geen sneeuwpop maken
en ook niet spelen met je slee
en als we allemaal gaan schaatsen
kun jij helemaal niet mee

Dat is waar, denkt Knorrepotje
en hij kleedt zich snel weer aan
want de winter is echt veel te leuk
om zo voorbij te laten gaan!

De appelboom

Het is al bijna winter
toch is de appelboom nog groen
en hij zegt: ik ben vergeten
wat ik in de herfst moet doen

Maar de vogeltjes die komen
roepen vrolijk met z'n allen:
maak eerst je blaadjes geel of bruin
en laat ze dan maar vallen!

Dát was het, roept de appelboom
bedankt hoor, allemaal
en een weekje later
is de appelboom ook kaal!

Herfstliedje

Herfst is lekker buiten stampen in de regen
en af en toe je winterjas al aan
herfst is binnenblijven als het hard gaat waaien
en vogels die weer naar het zuiden gaan

Herfst is eikels en kastanjes kunnen rapen
en knutselen met alles wat je vindt
herfst is zingen langs de deuren met Sint-Maarten
en kijken naar de aankomst van de Sint

Herfst is in het bos naar paddenstoelen zoeken
en koeien gaan weer lekker naar de stal
herfst is voelen dat de zomer echt voorbij is
en weten dat het winter worden zal

De plaagboom van egel

'Hou nu eens op!' brult egel. Hij kijkt boos omhoog.
'Heb je het tegen mij?' vraagt haas geschrokken.
'Natuurlijk niet,' zegt egel kwaad. 'Ik heb het tegen die boom.'
Haas begint te proesten.
'Ja, lach jij maar,' roept egel. 'Moet je kijken! Ik heb net de tuin helemaal aangeharkt en nu vallen er alweer blaadjes uit de boom.'
'Dat is toch logisch,' zegt haas. 'Het is gewoon herfst.'
Maar egel luistert niet en begint weer tegen de boom te schreeuwen. 'Ben je nou helemaal gek geworden? Hoe haal je het in je hoofd? Als je nu niet ophoudt, zaag ik je om. Hoor je? Je bent gewoon een stomme plaagboom.'

Haas doet zijn best om het niet uit te gieren van het lachen. Maar als hij de woedend rondstampende egel ziet, trekt hij snel een ernstig gezicht.
'Meen je dat nou?' vraagt haas. 'Is het een plaagboom? Maar egel, dan heb je iets speciaals in je tuin. Want plaagbomen zijn heel bijzonder. Die zie je niet zo vaak. En zeker niet zo'n grote. Mag ik hem misschien van je hebben? Dan hark ik die blaadjes wel voor je weg.'

Egel kijkt haas met grote ogen aan.
'Wat zeg je me nou?' vraagt hij. 'Wil jij die boom hebben? Hoe stel je je dat voor? Hoe wil je hem meenemen? In je broekzak soms?'
'Nee, joh,' zegt haas. 'Ik laat hem gewoon bij jou staan. Maar dan zet ik er wel een bordje bij. En daarop zet ik met grote letters: DIT IS DE PLAAGBOOM VAN HAAS. Ik weet zeker dat

iedereen dan ontzettend jaloers op me zal zijn.'
Egel kijkt haas stomverbaasd aan. 'Jaloers? Op jou?'
'Maar natuurlijk!' roept haas. 'Want blaadjes van een plaagboom zijn heel erg bijzonder.'
Ineens begint egel te lachen. 'Nou, dan heb je mooi pech gehad,' zegt hij. 'Want deze boom is toevallig van mij en niet van jou. Het is míjn boom en dat blijft het ook. Knoop dat maar heel goed in je oren, haas.'
Opeens ziet egel hoe er een blaadje van zijn boom naar beneden dwarrelt en aan de andere kant van het tuinhek valt. Hij rent haastig het tuinhek uit om het blaadje terug te halen.
'Tja,' zegt egel. 'Dat gaat natuurlijk niet door, dat bijzondere blaadje is van mij. Dus hoort het ook in mijn tuin, en niet aan de andere kant van het hek.'

Daarna loopt hij vrolijk fluitend naar binnen. Zijn boosheid is helemaal weg.
Haas kijkt hem lachend na. Je kunt egel echt van alles wijsmaken, denkt hij.
Even later komt egel trots naar buiten met een groot bord dat hij stevig aan de boom vastspijkert. DIT IS DE PLAAGBOOM VAN EGEL staat erop.
'Zo, dat is dat,' zegt egel tevreden. Hij pakt zijn hark en harkt voorzichtig nog wat blaadjes bij elkaar.

'Wat ga je eigenlijk met al die blaadjes doen?' vraagt haas even later.
'Ik denk dat ik ze in de schuur leg,' zegt egel. 'En anders op zolder.'

vrolijk fluitend naar het huisje van haas.
Haas begint te gieren van het lachen. 'Die egel toch!' roept hij hikkend. 'Nu gaat die sufferd míjn tuin ook nog harken. Alleen maar omdat hij denkt dat ik ook een bijzondere plaagboom heb. Bof ik even. En egel vindt het nog leuk ook. Nou, beter kan niet. Dan kan ik in die tijd iets anders gaan doen.
En terwijl egel de hele middag blaadjes aan het harken is, bakt haas zingend de heerlijkste koekjes!

Egel kijkt zijn vriend even aan. 'Vind je het niet erg dat je mijn boom niet mocht hebben?'
'Ben je mal,' zegt haas. 'Ik heb in mijn eigen tuin ook zo'n plaagboom. Niet zo'n grote als jij, maar wel een echte plaagboom.' Haas doet net of hij even heel diep nadenkt. 'Weet je wat?' zegt hij dan. 'Als je wilt, mag jij dit jaar ook de blaadjes van míjn plaagboom hebben.'
'Meen je dat nou?' roept egel blij. 'Wat ben je toch altijd aardig, haas. Ik ga ze meteen halen.'
Egel gooit zijn hark in de kruiwagen en wandelt

De vogels gaan op vakantie

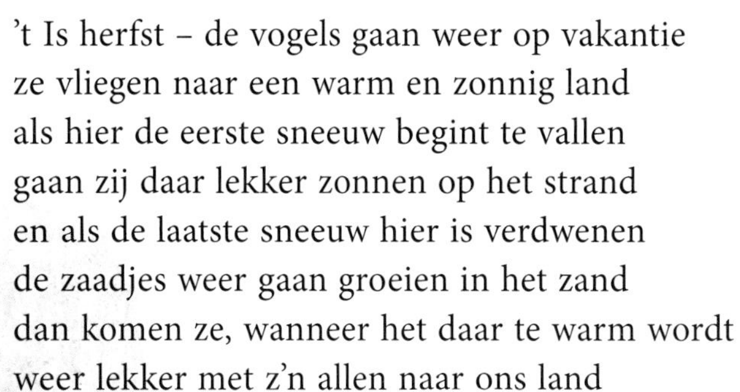

't Is herfst – de vogels gaan weer op vakantie
ze vliegen naar een warm en zonnig land
als hier de eerste sneeuw begint te vallen
gaan zij daar lekker zonnen op het strand
en als de laatste sneeuw hier is verdwenen
de zaadjes weer gaan groeien in het zand
dan komen ze, wanneer het daar te warm wordt
weer lekker met z'n allen naar ons land

Pas op!

De eikeltjes gaan vallen
ze ploffen op het mos
dus zetten de konijntjes
een helm op in het bos
want voor je 't weet heb je een bult
en dat is niet zo leuk
maar met een mooie helm op
krijg je alleen een deuk

Een domme papa

Mama heeft een oude tafel
in een kringloopzaak gekocht
hij ligt nu vol met mooie blaadjes
die Doortje zelf heeft uitgezocht

Maar papa zegt: dat kan zo niet, hoor
want die blaadjes zijn nog nat
strakjes gaat dat heel erg stinken
wacht maar, want ik weet al wat

Ik zal snel de blaadjes drogen
laat mij m'n gang maar even gaan
hij haalt meteen de föhn van boven
en daarná zet hij hem aan

Meteen begint de föhn te blazen
de blaadjes vliegen in het rond
ze waaien tegen de gordijnen
en vallen zomaar op de grond

Doortje moet dan heel hard huilen
en roept snikkend: papa, stop!
en mama zegt: ja, dat is dom, schat
ruim het maar weer keurig op

En als alles opgeraapt is
bromt papa: ik help nóóit meer mee
mama lacht en zegt dan vrolijk:
fijn hoor, lieverd – goed idee!

Een feestdag voor beer

Op een mooie herfstdag wandelen varken en beer samen door het bos.
'Kijk nou!' roept beer ineens. 'Daar ligt zomaar een euro tussen de eikels en kastanjes.'
'Bof jij even,' zegt varken.
Beer bekijkt de munt aan alle kanten. 'Waar zal ik hem nou laten?' vraagt hij dan bezorgd. 'In mijn broekzak kan niet, want die is stuk.'
'Geef die euro maar aan mij,' zegt varken. 'Ik bewaar hem wel voor je.'
'Fijn!' zegt beer opgelucht. En dan lopen ze samen weer verder.
Ineens begint varken een beetje in zichzelf te lachen.
Als beer even niet kijkt, haalt hij snel de euro die beer net heeft gevonden uit zijn broekzak en legt hem op het bospad.
'Hé, kijk daar eens!' roept beer even later. 'Daar ligt nóg een euro!' Blij raapt hij de euro op.
'Tjonge jonge,' zegt varken. 'Nu heb je al twee euro's gevonden.'
Beer lacht. 'Dan is er één voor jou en één voor mij,' zegt hij vrolijk.
Maar daar wil varken niets van weten. 'Nee hoor, jij hebt ze gevonden, beer, en dus zijn ze van jou. Geef maar, ik bewaar hem wel voor je.'

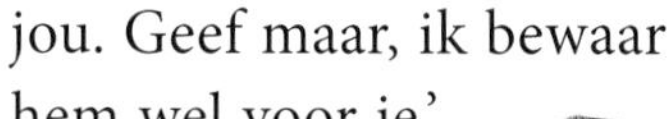

Als ze verder lopen, haalt varken snel de euro weer uit zijn zak en gooit hem opnieuw op het pad.
'Kijk!' roept beer opgewonden. 'Daar ligt er alweer één! Het is toch niet te geloven! Nu heb ik er al drie!'
En zo vindt beer steeds dezelfde euro die varken iedere keer op de grond gooit. Hij is dolblij.
'Varken, in je zak zitten nu al tien euro's die ik heb gevonden! Ik ben echt hartstikke rijk!' Maar dan vindt varken dat het wel mooi geweest is en dat het tijd is om te vertellen dat hij beer gewoon voor de gek heeft gehouden.
'Beer, je hébt helemaal geen tien euro...' begint varken. 'Ik heb namelijk...'
Maar beer luistert niet naar varken, want hij ziet dat olifant aan komt wandelen.
Beer rent op olifant af en roept: 'Ik ben rijk, olifant. Ik ben schatrijk. Je raadt nooit wat ik allemaal heb gevonden!'
'Vertel eens,' zegt olifant.
'Tien euromunten,' roept beer juichend.
'Is het niet geweldig?'
'Dit meen je niet,' zegt olifant verbaasd.
'Jawel,' roept beer. 'En varken bewaart ze in zijn zak tot we weer thuis zijn.'
'Is dat waar?' vraagt olifant aan varken.
Varken kijkt eens naar beer, en dan kijkt hij naar olifant. En ineens durft hij niet meer te zeggen dat het allemaal maar een grapje was.
'Ja, dat klopt,' zegt varken. 'Beer heeft tien keer een euro gevonden. Hij is een echte bofbil.'

'Zie je wel!' roept beer. 'Dit is echt een feestdag voor mij! En weet je… Van mijn tien euro trakteer ik jullie allebei op een flinke portie patat met appelmoes.'
'Lekker!' zegt olifant. 'Jij bent nog eens een goede vriend. Vind je ook niet, varken?'
Varken knikt en hij probeert een beetje te lachen. 'Ik moet alleen nog even wat water drinken,' zegt hij. En dan loopt hij heel snel voor olifant en beer uit naar zijn huis.
Zodra varken binnen is, maakt hij zijn spaarpot open en haalt er negen euromunten uit. Treurig ziet hij dat zijn spaarpot nu bijna leeg is. Zuchtend haalt hij die ene munt die beer gevonden heeft, uit zijn broekzak. Daarna gaat hij weer terug naar olifant en beer.

'Hier,' zegt hij tegen beer. 'Hier zijn je tien euro's. Tel ze maar na.'
'Ben je mal!' zegt beer. 'Ik geloof je meteen. Ik weet zeker dat jij me nooit voor de gek zou houden.'
En dan wandelen ze met zijn drietjes naar de frietkraam van nijlpaard.
Pas als varken heerlijk van zijn patatjes zit te smullen, wordt hij weer een beetje blij.
Maar één ding weet hij zeker. Hij zal nooit meer zo'n domme grap uithalen. Nooit, maar dan ook nóóit meer!

Eekhoorntje, klein eekhoorntje

Eekhoorntje, klein eekhoorntje
– wat doe je nu toch weer?
je legt echt overal in ’t bos
een stapel nootjes neer
alleen is het wel jammer
dat je strakjes niet meer weet
waar je je nootjes hebt verstopt,
omdat jij dat vergeet

Eekhoorntje, klein eekhoorntje
– wanneer het kouder wordt
dan zie je als je pech hebt
tóch geen nootjes op je bord
want als je steeds de plek vergeet
dan vind je ze niet meer
dus zet er als je iets verstopt
maar snel een bordje neer!

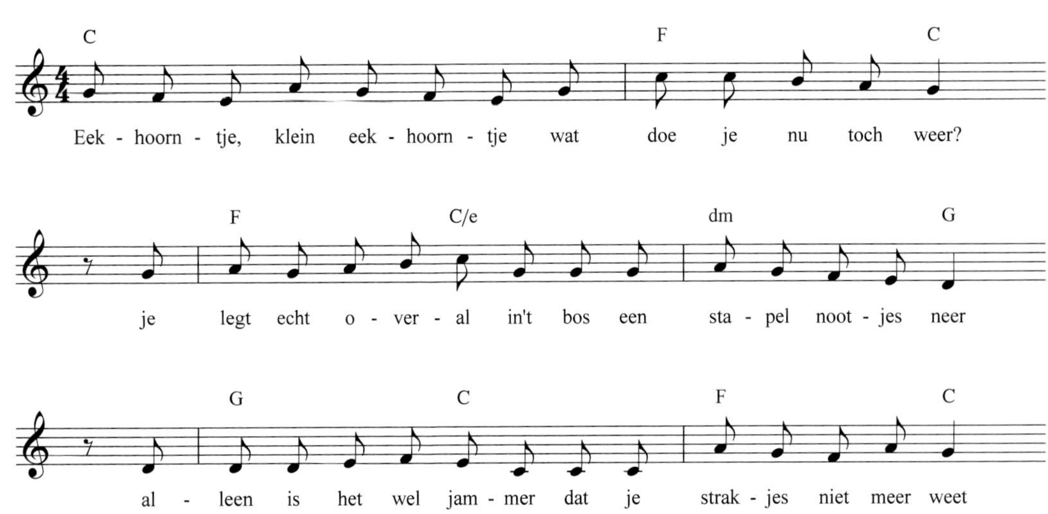

Een dikke kruisspin

Er woont een dikke kruisspin voor het huis in onze heg
en haalt iemand per ongeluk zijn spinnenweb daar weg
dan maakt hij weer een nieuwe en hij begint meteen
en als ik nog een keer kom kijken – ja, dan zit er alweer een
want spinnen kunnen razendsnel een spinnenweb ophangen
om daarin voor hun lunchpakket een vette vlieg te vangen…

Stop nu maar, wind

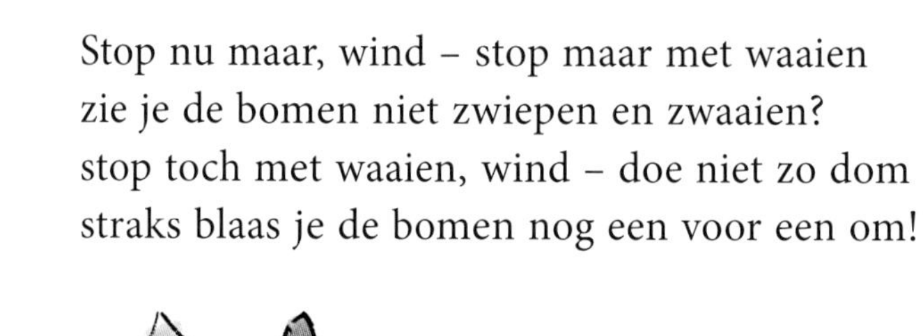

Stop nu maar, wind – stop maar met waaien
zie je de bomen niet zwiepen en zwaaien?
stop toch met waaien, wind – doe niet zo dom
straks blaas je de bomen nog een voor een om!

Oliebol gaat blaadjes harken

Olifantje Oliebol kijkt somber naar zijn tuin
daar ligt het vol met blaadjes, oranje, geel en rood en bruin
hij pakt zijn hark, maar Oliebol heeft vreselijk veel pech
want als hij bijna klaar is, waait de wind zijn blaadjes weg

Olifantje Oliebol roept: bah, wat is dat náár
en zuchtend harkt hij nog een keer de blaadjes bij elkaar
maar als olifantje klaar is, gaat het allemaal weer mis
omdat de wind dan weer opnieuw heel erg aan 't waaien is

Nu moet hij nóg eens aan de slag – maar vóórdat hij begint
zet hij snel een bordje neer: VERBODEN VOOR DE WIND!
Olifantje Oliebol vindt het zelf een superplan
maar 't is nu wel te hopen dat de wind ook lezen kan…

Het mannenkoor zet zijn schoen

'Jullie mogen straks je schoen zetten,' zegt tante Dina tegen het mannenkoor. 'En misschien kruipt Zwarte Piet vannacht dan wel door de schoorsteen om een pakje in jullie schoen te leggen.'
'O, wat spannend!' roept het mannenkoor blij. Ze rennen allemaal meteen naar hun kamer om een schoen te pakken. Even later zetten ze hun schoen voor de potkachel en dan gaan ze zingen. Ze zingen over een koffer vol cadeautjes, over een schoentje dat vergeten was, en over een Pietje dat wel honderd kusjes kreeg.
'Mooi gezongen!' zegt tante Dina. 'En nu gaan jullie lekker naar bed.'
'Mogen we hier niet wachten?' vraagt het mannenkoor. 'We willen Piet zo graag een hand geven als hij komt.'
'Nee,' zegt tante beslist. 'Daar hebben Pieten helemaal geen tijd voor. Ze moeten zó veel cadeautjes rondbrengen.'
Mopperend lopen de mannen de trap op. 'We mogen ook niks,' zeggen ze knorrig.
Maar… ze gáán helemaal niet naar bed. Ze gaan naar de zolder en klimmen het raam uit. En zo zitten ze bij de schoorsteen te wachten tot Piet komt. Er is alleen geen Piet te zien. En de uren tikken voorbij.
'Zullen we wat zingen?' vraagt een van de mannen. 'Dan duurt het niet zo lang.'
Ze zingen over een Pietje dat de weg kwijt was, over een cadeautje dat niet door de schoorsteen paste, en over een tante die dacht dat haar mannenkoor al in bed lag.
En ten slotte vallen alle mannen in slaap.

De volgende morgen wordt het mannenkoor wakker. Bibberend van de kou klimmen ze door het zolderraam naar binnen. En daarna rennen ze de trap af om in hun schoen te kijken. Maar alle schoenen zijn leeg.
'Bah!' roept het mannenkoor boos. 'Er is helemaal geen Piet geweest!'
'Jawel hoor,' zegt tante Dina. 'Hij was hier net, en hij was best wel een beetje boos op jullie. Hij zei dat het gewoon geen doen was. Hij kon niet eens bij de schoorsteen komen met al die slapende en snurkende mannen eromheen. Jullie moeten je schamen!'
De mannen knikken geschrokken.
'Zouden we het nog goed kunnen maken?' vraagt een van de mannen.
'Ik denk het wel,' zegt tante Dina. 'Misschien kunnen jullie een paar *We hebben er spijt van*-liedjes gaan zingen. Piet probeert het vanavond vast nog wel een keer. Maar dan moeten jullie natuurlijk wel op tijd in bed liggen.'
'Dat beloven we,' zegt het mannenkoor. Ze zingen het ene spijtliedje na het andere.
En daarna wil het mannenkoor meteen naar bed.
'Het is pas ochtend!' zegt tante Dina lachend.
'Ja,' roept het mannenkoor. 'Maar anders vindt Piet misschien dat we te laat in bed liggen.'
Even later slapen de mannen als een blok. Ze dromen over schoenen vol snoepgoed, over zakken vol cadeautjes en over een mannenkoor

dat nooit meer op het dak gaat zitten.
En jawel, hoor. De volgende dag ligt er in elke schoen een cadeautje. En er is ook een brief van Piet. Tante Dina leest hem even voor.

Beste mannen van het mannenkoor,
Ik ben blij dat jullie vannacht weer gewoon in jullie bed lagen en dat ik rustig over het dak kon lopen. Ga nu allemaal maar fijn je cadeautje uitpakken.
Dikke kus, ook van Sinterklaas,
Piet

Alle mannen pakken snel hun cadeautjes uit. En ze zijn echt blij. Vreselijk blij. Met hun cadeautje, maar óók omdat Piet niet meer boos op hen is.
En ja… dat begrijp je natuurlijk wel!

Egeltje Elisabet gaat bomen wassen

Het egeltje Elisabet pakt borsteltjes en sponzen
ze laat wat groene zeep in haar rode emmer plonzen
dan houdt ze snel haar emmertje onder de warme kraan
om daarna in het bos eens lekker aan de slag te gaan

Maar als ze dan begonnen is, wil ze niet meer stoppen
want ze wil álle bomen in het bos vandaag gaan soppen
dus zie jij in het bos straks heel veel schone bomen staan?
dan weet je: dát heeft egeltje Elisabet gedaan!

Een mooie rode paddenstoel

Het kleine beertje Benjamin staat klaar om zich te bukken
hij wil een hele mooie rode paddenstoel gaan plukken

Niet doen, laat staan nou, Benjamin, roept mama in paniek
zo'n paddenstoel kan giftig zijn – straks maakt hij je nog ziek!

Er zíjn wel paddenstoelen die je veilig eten kan
maar haal die voor de zekerheid maar bij de groenteman!

Mijn weerkaboutertje

Dit is mijn weerkaboutertje
dat daar op het hekje zit
en wanneer het buiten sneeuwt
dan wordt zijn mutsje wit

Als zijn mutsje nat wordt
dan weet ik: er is regen
en als het een beetje waait
zie ik zijn jas bewegen

Als er zon is, kijkt hij blij
en vliegt hij van het hek?
dán blijf ik liever binnen
want dan stormt het als een gek!

Het groene varken wordt bruin

Het groene varken maakt zich toch wel zorgen
hij loopt, nu het weer herfst is, door de tuin
en ziet vandaag weer – net als gistermorgen:
haast alle groene blaadjes worden bruin
hij denkt: als al dat groene langzaam bruin wordt
verkleur ik zelf straks ook nog eens misschien
dan loopt hij op een drafje naar de spiegel
omdat hij daar zichzelf heel goed kan zien

Eerst kijkt hij naar zijn neus en naar zijn oren
maar alles is gewoon nog prachtig groen
hij bekijkt zichzelf van achter en van voren
en doet iets wat hij niet had moeten doen
want hij kijkt óók eens naar zijn tenen
en roept: o help, mijn tenen worden bruin
de groene kleur is helemaal verdwenen
nu zijn het net de blaadjes in de tuin!

Geschrokken roept het varken naar zijn moeder:
moet je mijn bruine tenen toch eens zien
zijn moeder zegt: probeer het eens met water
en ook een beetje zeep – dát helpt misschien
en als het varken eindelijk uit bad komt
dan zijn zijn tenen groen en niet meer bruin
en vrolijk roept hij: ik heb een ideetje
'k ga ook de blaadjes wassen in de tuin!

Een eikenboom voor Benjamin

Het kleine beertje Benjamin
liep met een schepje rond
hij stopte als hij eikels zag
ze keurig in de grond

Want weet je, zei hij lachend,
waarom ik dat heb gedáán?
nu komt er hier over een poos
een eikenboom te staan

Ik zou dan in die eikenboom
een hut kunnen gaan bouwen
en er een schommel in gaan maken
met plankjes en wat touwen

Ook zou ik in mijn eigen boom
een hartje kunnen krassen
en als ik heel erg nodig moet
zou ik fijn tegen hem plassen…

We gaan een herfstmand maken

We gaan een herfstmand maken – voor bij ons in de klas
we stoppen beukennootjes en eikels in een tas
we hebben ook al blaadjes in onze tas gegooid
en zoeken een kabouter – maar die zie je bijna nooit

We gaan een herfstmand maken – dat doen we ieder jaar
dus zoeken we kastanjes en veren bij elkaar
we vinden dat er ook nog een mooie tak in moet
en zelfs konijnenkeutels – maar dat vindt de juf niet goed

We gaan een herfstmand maken met dingen uit het bos
met mooie dennenappels en kleine stukjes mos
er moeten straks nog even wat paddenstoelen bij
maar díé gaan we niet plukken – want die maken we van klei!

De ettertjes moeten in bad

'Wat zien jullie eruit!' roept tante Door geschrokken als de ettertjes de keuken binnen komen. 'Jullie moeten echt nodig in bad. Hebben jullie in de modder gezeten of zo?'
'Nee, hoor,' zegt Flop. 'We hebben juist modder gemáákt, met water en zand. En het was vreselijk leuk.'
Tante zucht eens diep. 'O, o,' zegt ze. 'Het is ook altijd wat met jullie. Snel handen wassen en dan in bad. Nu meteen!'
Flop en Fladdertje kijken elkaar aan.
'Moeten we dan ook die stinkzeep gebruiken?' vraagt Fladdertje.
'Stinkzeep?' vraagt tante verbaasd. 'Die zeep ruikt juist zo lekker.'
Flop haalt zijn schouders op. 'Nou, wij vinden het stinkzeep.'
'Ik heb een idee,' zegt tante Door. 'Morgen mogen jullie je schoen zetten. Doe daar een briefje in en vraag of Sinterklaas jullie een lekker stuk zeep kan geven.'
'Ja, maar daar hebben we nú natuurlijk niets aan,' zegt Fladdertje.
Tante Door denkt even na. 'Ik weet het goed gemaakt,' zegt ze. 'Jullie mogen van mij allebei vast een klein zeepje kopen om straks mee in bad te gaan. Maar dan wil ik verder geen gezeur meer.'
'Leuk!' roepen de kinderen blij. En terwijl Flop en Fladdertje hun handen wassen, legt tante wat geld klaar.

Even later lopen de ettertjes samen naar de winkels.
'Wat neem jij voor zeep?' vraagt Flop.
'Hartjeszeep,' zegt Fladdertje. 'Of een roosje van zeep. En jij?'
Flop haalt zijn schouders op. 'Ik weet het nog niet.'
Dan zijn ze bij de winkels. Ze lopen langs de fietsenwinkel, de fotozaak, en langs de banketbakker.
'Daar is de drogist waar je zeep kunt kopen,' wijst Fladdertje.
Maar Flop hoort het niet eens. Hij staat doodstil voor de etalage van de banketbakker en kijkt naar alle lekkere dingen die daarin te zien zijn. 'Heb jij ook zo'n zin in iets lekkers?' vraagt hij.
Fladdertje knikt.
'Als we nou eens gewoon iets lékkers kopen,' zegt Flop. 'We hebben toch geld bij ons? Dan maar geen zeep.'
'Doen we,' zegt Fladdertje. 'Maar we moeten er wel voor zorgen dat tante niets merkt.'
Samen stappen ze de bakkerij binnen.

‘Wat kan ik voor jullie doen?’ vraagt de mevrouw.
‘Wij wilden graag iets van marsepein,’ zegt Flop.
‘En het moet een beetje op een zeepje lijken.’
‘Jullie gaan toch geen rare grappen uithalen?’ vraagt de mevrouw.
‘Wij?’ roepen de ettertjes. ‘Nee, hoor!’
‘Dan is het goed,’ zegt de mevrouw.
Ze loopt voor de kinderen uit naar een rek waarin allemaal dingen van marsepein liggen. ‘Kijk,’ zegt ze. ‘Wat dachten jullie van twee hartjes?’
‘Mmm…’ zegt Flop. ‘Die zien er lekker uit.’

‘Is het gelukt?’ vraagt tante Door als de ettertjes thuiskomen.
‘Ja,’ zegt Flop vrolijk. ‘We hebben allebei een hartjeszeepje gekocht. Kijk!’
Flop en Fladdertje houden hun hartje omhoog en rennen dan de trap op.
‘Wat gaan jullie doen?’ roept tante hen achterna.
‘In bad, natuurlijk,’ roept Fladdertje.
Als de ettertjes in bad zitten, beginnen ze lekker aan hun hartjes te knabbelen. Het duurt niet lang of ze zijn allebei op. Daarna wassen ze zich met de stinkzeep van tante Door en drogen zich af.

Na een poosje komt tante Door boven. De ettertjes staan al kant-en-klaar in hun pyjama in de badkamer. ‘Waar zijn jullie zeepjes?’ vraagt tante.
‘Op!’ zegt Fladdertje. ‘Helemaal opgewassen. Daarom ruiken we ook zo lekker.’
‘Ik ruik anders helemaal geen verschil met mijn eigen zeep,’ zegt tante verbaasd.

'Wij wel, hoor,' zegt Flop. 'Dit ruikt veel, eh… veel, eh…'
'Zoeter!' roept Fladdertje snel.
'Nou ja…' zegt tante Door. 'Als jullie maar schoon zijn.'

De volgende avond mogen de ettertjes hun schoen zetten.
'Ik ben zo benieuwd wat ik van Sinterklaas zal krijgen,' zegt Flop. 'Ik vraag iets van marsepein.'
'Ja!' roept Fladdertje. 'Dat ga ik ook doen! Ik vond dat gisteren ook zo lekker.'
'Heb jij gisteren dan marsepein gegeten?' vraagt tante Door verbaasd.
Fladdertje wordt helemaal rood. 'Eh, nee…' zegt ze. 'Dat niet. Maar, eh... ik heb erover gedroomd. En het was echt een ontzettend lekkere droom.'
'Ja, ja…' zegt tante Door.
En dan gaan de ettertjes vliegensvlug naar bed.

De volgende morgen rennen ze naar beneden.
'Kijk eens, wat ik in mijn schoen heb!' roept Flop.
Hij houdt een mooi marsepeinen hart omhoog.
'Dat heb ik ook!' zegt Fladdertje blij. 'Zullen we doen wie de grootste hap kan nemen? Ik tel tot drie, en dan beginnen we.'
Flop telt tot drie en neemt dan snel een grote hap. Fladdertje neemt ook een hap.
'Jakkes,' brult Flop.
'Blèh!' roept Fladdertje.

Hoestend en proestend hollen ze allebei door de kamer.
Tante komt geschrokken aanrennen. 'Wat is hier aan de hand?' roept ze.
'Het is zeep!' roept Flop. 'We hebben zeep van Sinterklaas gekregen. En we dachten dat het marsepein was!'
Dan ziet tante Door een briefje naast de schoenen op de grond liggen. Ze pakt het op en leest het voor:

Beste Flop en Fladdertje,
Als júllie zeep bij de banketbakker kopen, dan koop ík marsepein bij de zeepwinkel.
Zo gaan die dingen. Grappig, hè?
Dikke kus van Sinterklaas.

'Ik snap er niets van,' zegt tante Door. 'Begrijpen jullie het?'
Flop en Fladdertje schudden hun hoofd. Maar ze snappen het best. Ze snappen het zó goed dat ze het maar liever niet vertellen…

De blote koning brandt zijn billen

Ergens in een groot paleis
daar loopt heel ongezond
van 's morgens vroeg tot 's avonds laat
een blote koning rond

Hij wil graag buiten wandelen
maar 't mag niet van zijn vrouw
ze zegt: dat is nu véél te fris
pas op, straks vat je kou!

Maar dan zegt de koning: wacht
ik heb al een idee
ik regel wel een kacheltje
dan neem ik dat wel mee

Nu loopt hij met zijn kachel rond
en puft hij van de hitte
totdat hij er uiteindelijk
heel even op gaat zitten

En dán brandt hij zijn billen
ja, dat héb je er nu van
zodat hij – ach, wat jammer nou
een week niet zitten kan!

Kaboutertje Jan wil verstoppertje spelen

Kaboutertje Jan wil verstoppertje spelen
hij speelt met een pissebed die hij goed kent
de pissebed zegt: dat lijkt me geweldig
maar ik wil wél graag dat jij hem dan bent!

Goed, zegt kaboutertje Jan – hij gaat tellen:
één, twee, drie, vier – en dan verder tot tien
hij roept hard: ik kom hoor – en als je niet weg bent,
ben je erbij – dan heb ik je gezien!

Kaboutertje Jan kijkt onder de stenen
en af en toe roept hij: ja, jij bent erbij
maar dan zegt die pissebed: zoek maar gauw verder
je zoekt volgens mij naar een vriendje van mij

Kaboutertje Jan kijkt tussen de plantjes
en is aan het eind van de dag nóg niet klaar
tja, zegt een pissebed, 't is ook wel moeilijk
want wij lijken natuurlijk heel erg op elkaar

Kaboutertje Jan zegt: ik ga ermee stoppen
hij ploft op zijn buik – hopla, in 't gras
de pissebed roept dan: je vond me wel tien keer
maar elke keer zei ik dat ík het niet was!

Dan moet kaboutertje Jan bijna huilen
en roept: nou, dat vind ik niet aardig van jou!
de pissebed zegt: ach, het was maar een grapje
maar echt hoor – geloof me – ik hou wél van jou!

De bloembollen van Kobus

'Ha, die Kobus!' roept Kwak, als hij bij zijn vriend naar binnenloopt.
'Ha, die Kwak,' zegt Kobus. 'Leuk dat je er bent, maar ik heb het wel ontzettend druk vandaag. Ik moet zo eerst boodschappen doen, en daarna ga ik al die bloembollen in de achtertuin zetten.'
Kobus wijst naar een enorme kist met bollen.
Kwak schudt zijn hoofd. 'Nou, nou… je bent nogal wat van plan. Dat zijn er wel honderd.'
'Honderd?' roept Kobus. 'Het zijn er meer dan tweehonderd!'
'Wel jammer dat je ze allemaal in de achtertuin wilt zetten,' vindt Kwak. 'Waarom zet je ze niet gewoon in de voortuin? Dan kan iedereen ze zien als ze straks in de lente gaan bloeien.'
'Nee hoor,' zegt Kobus. 'Ik wil ze allemaal in de achtertuin, zodat ik de bloemen kan zien als ik in bed lig. Maar nu moet ik weg, Kwak. De krant ligt op de bank. Ik ben over een uur wel weer terug.'
Kobus pakt zijn tas en loopt met grote stappen het tuinpad af.

Weet je wat? denkt Kwak. Ik zal Kobus eens verrassen.
Kwak pakt de kist met bloembollen en loopt de achtertuin in. Hij haalt wat gereedschap uit de schuur en begint een voor een de bollen in de aarde te stoppen.
Na veel geploeter zitten alle bollen in de grond.
Kwak harkt alles nog even netjes aan en daarna gaat hij snel naar binnen om koffie te zetten.
Als Kobus thuiskomt, zit Kwak net op de bank de krant te lezen.
'Daar ben ik weer,' zegt Kobus vrolijk. 'Heb je je niet verveeld, Kwak?'
'Nee, hoor,' zegt Kwak. 'Ik vind het altijd leuk om de krant te lezen, en de koffie is klaar.'
'Fijn,' zegt Kobus. 'Dan kunnen we eerst koffiedrinken, en daarna moet ik nog naar de bibliotheek. Zal ik meteen broodjes halen? Dan kun je straks blijven eten.'
Kwak knikt. 'Leuk plan!'

Na de koffie zoekt Kobus zijn bibliotheekboeken bij elkaar. 'O ja,' zegt hij, voor hij de deur uit loopt. 'Ik heb er nog eens over nagedacht, maar je hebt wel gelijk, Kwak. Het is eigenlijk leuker als de bloembollen in de voortuin komen te staan. Ik ga het straks meteen regelen.' En dan loopt Kobus de deur uit.

Kwak wordt helemaal wit. Wat móét ik nou? denkt hij geschrokken. Nu heb ik als verrassing voor Kobus juist die tweehonderd bloembollen in de achtertuin gezet.
Snel staat Kwak op en hij loopt met de lege kist naar buiten. Een voor een begint hij de tweehonderd bloembollen weer op te graven. Het is echt een verschrikkelijke klus.
Maar eindelijk heeft Kwak ook de laatste bloembol weer opgegraven. Daarna loopt hij naar de voortuin en zet de bollen stuk voor stuk in de grond. Hij werkt zo hard hij kan, want hij wil klaar zijn voordat Kobus thuis is.
Kwak heeft net zijn handen gewassen als Kobus binnenkomt.
'Ik lijk wel gek,' zegt Kobus.
'Hoezo?' vraagt Kwak.
'Tja,' zegt Kobus, 'ik heb er de hele weg over nagedacht, maar het lijkt me toch leuker om in de lente vanuit mijn bed naar de tulpen en de narcissen te kunnen kijken. Ik ga de bollen straks dus in de achtertuin zetten.'

Kwak kijkt zijn vriend met grote ogen aan. En dan begint hij te huilen.
Kobus schrikt ontzettend. 'Wat is er aan de hand?' vraagt hij bezorgd.
Snikkend vertelt Kwak het hele verhaal. Hoe hij Kobus had willen verrassen door alle bollen vast in de achtertuin te zetten. Dat hij ze er toen weer allemaal uit had gehaald om ze snel in de voortuin te zetten. 'Het was een verrassing voor jou,' roept Kwak verdrietig. 'Maar nu wil je de bollen weer in de achtertuin!'
'Ach, wat zielig voor je,' zegt Kobus. 'Wat ben je toch lief, Kwak. Weet je wat we doen? Ik koop gewoon nieuwe bollen voor de achtertuin. En als de bloemen volgend jaar in de voortuin én in de achtertuin bloeien, krijg jij een supergrote bos bloemen van mij. De mooiste bos bloemen van de hele wereld voor de liefste vriend van de wereld!'
En dan kan Kwak gelukkig weer lachen. 'Goed, hoor,' zegt hij. 'Zullen we dan nu lekker koekjes gaan bakken?'
'Ja,' zegt Kobus. 'Omdat je dat hebt verdiend.'
En zo is het maar net!

Drie kleine jongetjes ruimen het park op

Drie kleine jongetjes gaan naar het park toe
mama die loopt met de jongetjes mee
bah, zegt ze, hier ligt echt óveral rommel
weet je, ik heb echt een heel goed idee

Als we nu samen eens op gingen ruimen
dat is toch leuk? – wat vind je ervan?
ik haal uit de schuur wel even drie emmers
we doen wie het meeste verzamelen kan

De jongetjes vinden het allemaal prachtig
ze lopen al snel met hun emmertjes rond
en rapen papiertjes en blikjes en zakjes
en schillen en rommeltjes op van de grond

Eindelijk is er geen troep meer te vinden
maar dan roept er ineens een man op zijn fiets:
ik hoorde laatst dat het hier vol lag met rommel
maar nu ik hier ben, zie ik echt níéts

De jongetjes roepen: hier lág ook veel rommel
maar onze mama die had een goed plan
wij hebben de rommel toen netjes verzameld
zodat het nu mooi naar de vuilnisman kan

O, zegt de man, maar dat is echt gewéldig
nu is dit het keurigste park van het land
ik maak van jullie een prachtige foto
en die komt dan morgen beslist in de krant!

Van Marianne Busser en Ron Schröder verschenen ook:

Alle vrolijke verhaaltjes over de viezerdjes, de ettertjes, de griezeltjes en de bussertjes nu in één band! Een lekker stout voorleesboek, met gekke illustraties van Dagmar Stam.
ISBN 978 90 475 0730 7

Een heerlijk voorleesboek op rijm over het bekende prinsesje Liselotje. Alle dertien Liselotje-boekjes in één bundel om eindeloos uit voor te lezen!
ISBN 978 90 475 1299 8

Een groot boek voor kleine mensen, vol met korte verhaaltjes op rijm. Met de twee stoute eendjes, de zeven kleine beertjes, de mini-muisjes en nog heel veel meer figuurtjes.
ISBN 978 90 269 9736 5

Een lekker dik voorleesboek vol grappige en soms ook aandoenlijke verhalen. In deze verhaaltjes over omgaan met elkaar, emoties en sociale vaardigheden, spelen dieren de hoofdrol.
ISBN 978 90 475 0122 0

De verschillende, steeds terugkerende figuurtjes in dit dikke vrolijke voorleesboek maken van alles mee.
Een boek om elke dag uit voor te lezen, thuis of in de klas!
ISBN 978 90 269 9867 6

Een bundeling van de ontroerendste, grappigste en stoutste verhaaltjes en gedichtjes uit *Het grote boek voor de kleintjes*, *Het grote boek voor de kleuters*, *Het grote Pietertje Pet boek*, *Het grote dierenverhalenboek* en *Versjes en liedjes voor de kleintjes*.
ISBN 978 90 475 0315 6

Een heerlijk groot boek vol lieve, grappige en feestelijke verhalen en versjes.
Om elke dag uit voor te lezen.
ISBN 978 90 475 1095 6

Allerlei leuke, grappige en ontroerende verhalen en versjes over de lente. Voorlezen uit dit boek is een feest voor jong en oud!
ISBN 978 90 475 1408 4

Een vrolijke bundel waar opa's en oma's een belangrijke rol spelen. Daarnaast ook een heleboel andere versjes en verhalen.
ISBN 978 90 475 1667 5

In deze vrolijke bundel staan versjes, liedjes en verhalen die in de zomer spelen.
ISBN 978 90 475 1189 2

De kleine, stoute Pietertje Pet maakt van alles mee in deze vrolijke voorleesbundel op rijm. Met kleurrijke en vertederende tekeningen van Marijke Duffhauss.
ISBN 978 90 410 1377 4

Een bundel vol gezellige versjes, liedjes en verhaaltjes over allerlei gebeurtenissen in de winter.
ISBN 978 90 475 1391 9

ISBN 978 90 475 1409 1
NUR 272

Uitgeverij Unieboek | Het Spectrum bv, Postbus 97, 3990 DB Houten

www.unieboekspectrum.nl
www.mariannebusser-ronschroder.info

Tekst: Marianne Busser & Ron Schröder
Illustraties: Dagmar Stam
Vormgeving: Petra Gerritsen, www.spletters.nl